D0811334

Le Palais Rubis

Princesse Marie

garde le sourire

Cet ouvrage a initialement paru en langue anglaise en 2007
chez Orchard Books sous le titre :
Princess Georgia and the Shimmering Pearl.

Adapté de l'anglais par Natacha Godeau

Mise en page et colorisation : Valérie Gibert et Philippe Sedletzki

Hachette Livre, 43 quai de Grenelle, 75015 Paris

Vivian French

Princesse Marie
garde le sourire

HACHETTE

Institution

pour Princesses Modèles

Devise de l'école :

Une Princesse Modèle
est honnête, aimable
et attentionnée.
Le bien-être des autres
est sa priorité.

Le Palais Rubis dispense un enseignement complet, éducation artistique comprise, à l'usage des princesses du Club du Diadème.

Notre programme inclut :

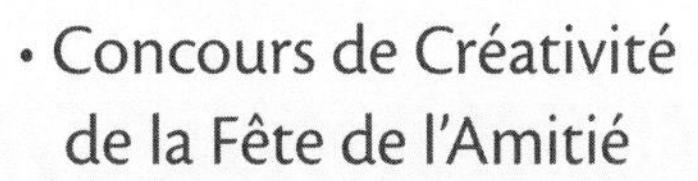

- Concours de Créativité de la Fête de l'Amitié
- Cours de Composition Florale (roses sans épine)
- Cours de Danse et Prestance
- Visite du Salon Annuel de Joaillerie Royale (à l'occasion de l'anniversaire de notre chère directrice)

Notre directrice, la Reine Cornélia, assure une présence permanente dans les locaux. Nos élèves sont placées sous la surveillance de l'Enchanteresse en Chef Marraine Fée, et de son assistante Fée Angora.

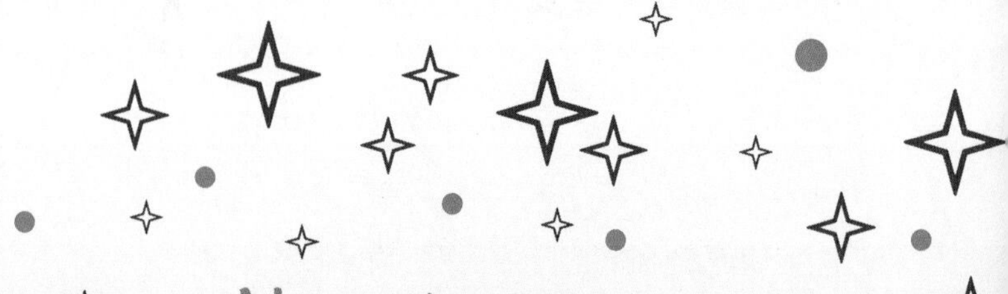

Notre équipe compte entre autres :

- Le Roi Gaspard IV
(Président d'Honneur)

- Lady Arabelle
(Infirmière en Chef)

- Lady Constance
(Secrétaire de Direction)

- La Reine Mère Matilda
(Maintien, Bonnes Manières et Art Floral)

Les princesses du Club du Diadème
reçoivent des Points Diadème afin
de passer dans la classe supérieure.
Celles qui cumulent assez de points
au Palais Rubis accèdent
au Bal de Promotion, au cours
duquel elles se voient attribuer
leur prestigieuse Écharpe Rubis.
Les princesses promues intègrent
alors en quatrième année
le Château de Nacre,
notre établissement de très haut
niveau pour Princesses Modèles,
afin d'y parfaire leur éducation.

Le jour de la rentrée, chaque princesse est priée de se présenter à l'Académie munie d'un minimum de :

- Vingt robes de bal (avec dessous assortis)
- Cinq paires de souliers de fête
- Douze tenues de jour
- Trois paires de pantoufles de velours
- Sept robes de cocktail
- Deux paires de bottes d'équitation
- Douze diadèmes, capes, manchons, étoles, gants, et autres accessoires indispensables.

Bonjour !
Quelle joie de te retrouver !
Je suis Princesse Marie.
Je partage la Chambre des Coquelicots
avec mes cinq meilleures amies :
les Princesses Chloé, Jessica,
Olivia, Maya et Noémie.
Ici, au Palais Rubis, nous apprenons à devenir
de vraies Princesses Modèles.
Mais ce n'est pas toujours facile,
tu peux me croire !

Un bon conseil :
méfie-toi des jumelles Précieuse et Perla…
Elles sont si méchantes !
Mais tu ne crains rien,
nous te protégerons.
Tu es notre amie, après tout !

À la délicieuse Princesse Anna, fille de la merveilleuse Reine Janet, V. F.

Chapitre premier

Pauvre Chloé ! Elle n'arrête pas d'éternuer !

Ça a commencé au petit-déjeuner, deux fois de suite. Et au moins cinquante fois pendant notre cours d'Usage des Traînes en Velours, et en une heure seulement ! Ça a continué comme ça jusqu'au déjeuner.

Son nez coule, ses yeux sont tout rouges et elle est très pâle…

— Je ferais bieux de prévenir Barraine Fée que j'ai un gros rhube, se décide-t-elle enfin.

Bien sûr, Marraine Fée la conduit immédiatement à la Chambre des Édredons. C'est l'infirmerie de l'école : elle est tout en haut du Palais Rubis, dans la Tour du Cerisier.

C'est une grande pièce très

claire et vraiment jolie. Ça ne nous gêne pas du tout d'y aller, au contraire ! Même si l'Infirmière en Chef, Lady Arabelle, est plutôt stricte... Et puis, Marraine Fée nous rend souvent visite pour vérifier que tout va bien.

Mais tu es d'accord : une fée devrait pouvoir nous guérir d'un coup de baguette magique ?!

Seulement, il paraît que ce serait un peu de la triche... et un vrai gaspillage de magie !

Dans l'après-midi, Maya se met à éternuer elle aussi. Et le soir, nous ne sommes plus que quatre

dans la Chambre des Coquelicots : Noémie, Jessica, Olivia et moi. Nos deux autres amies essaient de dormir dans la Chambre des Édredons, avec de grosses bouillottes pour les aider à se soigner. Quand nous les avons vues, elles

se mouchaient et elles avaient l'air très malades !

Au moment de nous coucher, Jessica soupire :

— Si je pouvais attraper ce rhume, moi aussi ! Comme ça, je raterais quelques jours de classe… et l'examen de Composition Florale ! Je suis nulle, dans cette matière. La Reine Mère Matilda me donnera encore une mauvaise note !

Olivia se met à pouffer.

— Mes enfants ! lance-t-elle d'un ton autoritaire. Une Princesse Modèle digne de ce nom ne commet jamais d'erreur.

Elle sait épeler « rhododendron » sans hésiter !

Olivia est vraiment douée ! Elle imite notre professeur d'Art Floral à la perfection ! Nous rions de bon cœur… mais voici que mon rire se transforme en éternuements !

— Oh non ! je m'exclame entre deux éternuements. On dirait bien que je vais être absente pour l'examen…

Jessica lève les yeux au ciel.

— C'est trop injuste, Marie ! Toi, tu es super forte en Composition Florale. Tu aurais forcément une excellente note !

— Tu es la meilleure de l'Académie, continue Noémie. Les jumelles en meurent de jalousie !

Olivia hoche la tête.

— Perla était verte de rage, le jour où c'était à toi d'arranger les bouquets de fleurs, dans la salle polyvalente. Je suis prête à parier que Précieuse a voulu renverser les vases pour gâcher ton travail !

— Atchoum ! Pari gagné ! je réponds avant d'éternuer à nouveau. Aaa-tchoum !

— Tu veux que j'aille chercher Marraine Fée ? s'inquiète soudain Noémie.

— Non, merci. Ça ira pour cette nuit...

Pourtant, je ne me sens pas en forme du tout ! D'ailleurs, au petit matin, Marraine Fée me conduit à mon tour à la Chambre des Édredons... Je n'ai même pas la force de souhaiter bonne chance aux autres, pour l'examen !

Et puis en fin de matinée, quand je me réveille à l'infirmerie, je comprends qu'aucune de

mes amies n'ira en classe aujourd'hui : tous les lits sont occupés ! Toute la Chambre des Coquelicots est réunie ! Et ces pestes de jumelles sont là aussi !

— Je suis malade ! gémit Perla.

— Arrête, grogne Précieuse. Je suis encore plus malade que toi !

— C'est pour ça que vous êtes à l'infirmerie, Princesses ! déclare sèchement Lady Arabelle.

Et elle les borde si serrées dans leur lit, que Précieuse et Perla sont bien obligées de se taire : elles peuvent à peine respirer !

Chapitre deux

Les deux premiers jours, nous sommes bien trop malades pour bavarder.

Mais le matin de mon troisième jour à l'infirmerie, je me sens beaucoup mieux !

Lady Arabelle prend ma température et hoche la tête.

— Parfait, Princesse Marie ! Votre fièvre est tombée ! Je vous garde encore un jour ou deux à la Chambre des Édredons, mais vous serez bientôt guérie. Je vous autorise à vous lever un peu, si vous avez le courage. Mais à condition de ne pas déranger vos camarades !

— Je serai sage, Lady Arabelle ! je promets tout bas.

Dans le lit d'à côté, Olivia me sourit. Elle me demande :

— Tu veux jouer ? Marraine Fée nous a apporté un jeu de sept familles, hier, pendant que tu dormais.

— Avec joie !

Je m'approche d'elle et j'ajoute, tout doucement pour que Lady Arabelle ne m'entende pas :

— Je reste ici encore au moins

deux jours ! Deux jours sans école ! Hourra !

— Ne te réjouis pas trop vite, me recommande Olivia. Marraine Fée et la Reine Mère Matilda viennent voir tout à l'heure si nous sommes en état de passer notre examen de Composition Florale, demain !

Je m'étrangle presque !

— Comment ? Elles veulent nous faire passer notre examen pendant que nous sommes à l'infirmerie ?!

— C'est terrible, hein ? ajoute Maya en s'asseyant sur le bord du lit. Nous ne pouvons même pas faire semblant... Marraine Fée sait toujours quand on est malade ou pas !

C'est le problème avec les fées : elles sont trop malignes !

Je soupire :

— Dans ce cas, amusons-nous pendant que nous avons encore le temps, les filles !

Et nous commençons notre partie de cartes dans la bonne humeur.

Le soir, je me sens mal à nouveau. C'est bizarre comme ça change vite ! Un moment, tu vas mieux, et puis tout d'un coup, hop, tes jambes deviennent toutes molles, et tu es bien contente de pouvoir te coucher sur tes oreillers moelleux !

Marraine Fée entre à ce moment-là dans la Chambre des

Édredons. La Reine Mère Matilda la suit de près.

— Mes chères princesses, commence l'Enchanteresse. Je viens voir comment vous vous portez. Est-ce que vous brillerez de tous vos pétales, demain... ou est-ce que vous afficherez encore des couleurs fanées ?

Marraine Fée est si amusante ! Elle dit ça à cause de nos dortoirs, qui ont des noms de fleurs... et aussi parce que nous devons composer un bouquet, pour l'examen !

Par contre, la Reine Mère Matilda ne la trouve pas drôle du

tout. Elle la reprend d'un ton sévère :

— Ces élèves se porteront très bien demain, Marraine Fée. « Une Princesse Modèle digne de ce nom accomplit toujours son

devoir, quelles que soient les circonstances ! »

Marraine Fée ne répond pas. Elle est trop occupée à fouiller dans son immense sac à main. Elle en sort une longue, longue

chaîne en argent où se balance une perle blanche absolument magnifique.

— Je savais bien que je l'avais rangée quelque part dans ce sac ! murmure l'Enchanteresse. Maintenant, dites-moi : qui se sent trop faible pour passer l'examen, demain ?

Précieuse et Perla lèvent aussitôt le doigt. Marraine Fée les dévisage : on dirait qu'elle ne les croit pas...

— Eh bien, voyons ça ! Cette perle est ma dernière invention magique : il s'agit d'une Perle de Vérité !

Elle agite le poignet et la perle se met à tourner, tourner au bout de la chaîne...

— Que c'est beau ! je m'exclame.

— Joli spectacle, n'est-ce pas ? répond l'Enchanteresse en souriant.

— Tu parles de magie ! persifle Perla à l'oreille de Précieuse. Elle ferait mieux de nous soigner. Mais c'est trop difficile pour elle, j'imagine... Après tout, ce n'est pas la Reine des Fées !

Marraine Fée la regarde comme si elle l'avait entendue. Ça alors ! Au lieu de la gronder, elle sourit et lui dit :

— Je regrette de ne pouvoir faire disparaître votre rhume,

Princesses. Mais la Perle de Vérité me dira si vous êtes malades au point de ne pas pouvoir passer l'examen de Composition Florale !

Nous fixons toutes la perle. Elle se balance de plus en plus vite au bout de la chaîne… Mais, soudain, elle devient grise !

— Et voilà : en réalité, vous vous portez très bien !

L'Enchanteresse range la Perle de Vérité dans son sac. Précieuse proteste :

— C'est faux ! Je sens que j'ai de la fièvre et j'ai très mal à la tête !

— Eh bien demain, vous irez

mieux, l'interrompt la Reine Mère Matilda. Les pouvoirs magiques de Marraine Fée sont fiables à cent pour cent. Alors... à demain, Princesses !

Et elle quitte l'infirmerie. Avant de la suivre, Marraine Fée se retourne vers nous :

— N'oubliez pas, mes chères enfants : celle d'entre vous qui imaginera le plus beau bouquet recevra une fabuleuse surprise... et toutes ses amies aussi !

Puis elle sort de la pièce. Nous sommes stupéfaites.

— Une fabuleuse surprise ! répète Chloé, émerveillée.

Perla me jette un regard glacial en murmurant :

— Et on sait très bien qui va gagner…

Je hausse les épaules, je me blottis sous ma couette et je réponds :

— On verra bien demain, de toute façon. Bonne nuit !

Chapitre trois

Je me réveille tôt, le lendemain matin. Et je me sens en pleine forme ! Je saute de mon lit et je vais chercher du papier et des crayons de couleur dans l'armoire de Lady Arabelle. Je m'installe à la table de la Chambre des

Édredons, et je commence à dessiner. Je cherche des idées de bouquet pour l'examen de Composition Florale.

J'adore les fleurs ! Mes parents possèdent les plus grandes serres royales du monde. Quand j'étais petite, je passais mes journées à observer le travail du Jardinier en Chef !

Très vite, j'ai une idée géniale pour mon bouquet !

Je vais mettre plein de petites fleurs pastel : des bleues, des mauves, des rose pâle et des blanches. Il n'y aura que des fleurs des champs, elles sont si délicates !

L'ensemble est très réussi. Je termine en dessinant une branche de lierre qui entoure le bouquet, enroulée à des rubans de satin rose et mauve.

J'admire le résultat, très satisfaite.

Mais, soudain, je m'aperçois que Précieuse regarde par-dessus mon épaule !

— Qu'est-ce que c'est que ça ? demande-t-elle d'un air méprisant. Ces espèces de touffes de coton bleu, là... c'est quoi ?

Sur le moment, je meurs d'envie de cacher mon dessin. J'ai la désagréable impression que

Précieuse pourrait copier sur moi… Puis je me rappelle qu'« une Princesse Modèle ne pense jamais de mal des autres ». Alors je soupire et je lui réponds :

— Ce sont des fleurs, Précieuse. Évidemment !

Elle fait une grimace hautaine.

— Pouah, ça des fleurs ! s'exclame-t-elle. Moi, pour mon bouquet, j'en choisirai des vraies : des roses et des lys !

Elle désigne alors des marguerites, sur mon dessin, et demande :

— Et ça, là, c'est quoi ? Des papillons ? C'est bête comme idée : ils vont s'cnvoler !

Je n'ai pas le temps de lui répondre : Lady Arabelle entre dans la Chambre des Édredons. Elle frappe dans ses mains pour réveiller tout le monde.

— Ce n'est plus le moment de dessiner, Princesse Marie ! ordonne-t-elle pendant que Précieuse retourne dans son lit.

Je me dépêche de tout ranger, puis de plier ma feuille et de la glisser sous mon oreiller.

— Nous avons beaucoup à faire, ce matin, continue l'Infirmière en Chef. Je veux que cette pièce soit impeccable pour l'arrivée de la Reine Mère Matilda !

Lady Arabelle semble très contente, tout à coup. Elle reprend :

— Surtout que nous avons une merveilleuse surprise, mes chères Princesses ! Notre directrice, la Reine Cornélia, a décidé de venir en personne à l'infirmerie pour juger vos Compositions Florales !

Elle s'attend à ce que nous explosions de joie à cette nouvelle. Alors, je me mets à applaudir. Mes amies m'imitent aussitôt et Lady Arabelle sourit encore plus.

— Parfait, approuve-t-elle. La Reine Cornélia a déjà examiné les dessins de la Chambre des Roses, de la Chambre des Lavandes, et de tous les autres dortoirs. À votre tour, maintenant ! Faites vite vos lits et allez au réfectoire de l'infirmerie. Après le petit-déjeuner, nous débarrasserons les tables et votre professeur vous distribuera du papier et des crayons de couleur...

Tu t'en doutes : avec mes amies, on ne parle que de nos idées de bouquets pendant le petit-déjeuner !

Mais pas Précieuse et Perla. Comme d'habitude, elles restent à l'écart et chuchotent d'un air complice...

Quand la Reine Mère Matilda arrive, les jumelles se précipitent vers elle, s'inclinent jusqu'au sol et Perla lui demande :

— Oh, s'il vous plaît, Votre Majesté ! Nous aimerions tellement travailler ensemble, ma sœur et moi, pour l'examen ! Nous avons une idée fantastique !

— Une idée formidable ! renchérit Précieuse. Et nous appellerons notre bouquet « Le Matilda » en votre honneur !

Notre professeur est un peu étonnée. Elle hésite :

— Ce bouquet est censé être destiné à une « Princesse Bien Particulière », vous savez, pas à un professeur !

— Pitié, Votre Altesse ! la supplie Perla avec un sourire que je trouve un peu forcé…

— Bien, comme vous voudrez, capitule alors la Reine Mère. Asseyez-vous !

Elle leur donne des feuilles, et

les jumelles courent à une table. Elles commencent à dessiner dès qu'elles sont assises. La Reine Mère Matilda sourit.

— Quelle joie de constater qu'au moins deux d'entre vous se sont préparées pour l'examen !

Les autres, mettez-vous au travail dès que possible. Et n'oubliez pas d'écrire votre nom sur votre copie !

Deux minutes après, il n'y a plus un bruit, dans la salle. Nous sommes toutes concentrées sur nos dessins.

Au bout d'un moment, la Reine Mère se lève et passe entre

nous. Elle regarde par-dessus nos épaules. Je la vois sourire devant la feuille de Précieuse et Perla, à la table devant moi.

— Charmant, s'exclame-t-elle. Absolument charmant !

Elle passe ensuite devant Olivia, Jessica, et enfin, elle arrive à ma place. J'ai presque fini. Je sais, une Princesse Modèle ne doit pas se vanter… mais je suis vraiment fière de mon bouquet !

J'attends que la Reine Mère Matilda me félicite moi aussi… Mais elle regarde ma feuille, ouvre la bouche, scandalisée, et me jette un coup d'œil glacial.

— Princesse Marie ! gronde-t-elle. Ce que je vois là est indigne d'une Princesse Modèle !

Qu'est-ce qu'elle veut dire ? Je ne comprends rien ! Elle fronce les sourcils et reprend :

— Nous allons vite savoir ce qu'en pense notre directrice,

Princesse Marie. Sauf erreur de ma part, la voici justement qui arrive !

Elle a raison : un valet royal bondit dans la pièce en jouant de la trompette. Puis il se place à côté de la porte et laisse passer la Reine Cornélia, suivie de Marraine Fée.

Elles avancent toutes les deux d'un pas majestueux. Elles sont vraiment impressionnantes ! Nous sentons bien que nous n'avons pas intérêt à nous faire remarquer... surtout que Marraine Fée n'a pas l'air très contente ! Elle se plaint à la Reine Cornélia :

— Votre valet doit-il donc toujours jouer si fort ? Je n'entends plus rien !

— Mais c'est amusant, non ? répond la directrice en souriant.

Elle agite son cornet acoustique et ajoute :

— Au moins, je l'entends bien ! Et je suis sûre que mes chères

petites princesses aiment ça aussi ! N'est-ce pas, mesdemoiselles ?

Nous faisons une profonde révérence. Nos oreilles sifflent encore, tellement le son de la trompette était assourdissant ! Mais nous répondons poliment :

— Oui, Votre Majesté !

— Parfait ! se réjouit la Reine Cornélia.

Elle s'avance devant nous et lance d'un ton solennel :

— Et maintenant, admirons votre travail... Les autres dortoirs ont réalisé de superbes dessins. J'ai hâte de voir les vôtres !

À cet instant, la Reine Mère

Matilda s'empare de ma feuille et la tend à la directrice. Elle déclare d'un ton grave :

— Pardonnez-moi, Votre Altesse, mais nous avons d'abord un sérieux problème à résoudre !

Moi, je ne sais pas quoi dire. Mais qu'est-ce qui se passe ?

Chapitre quatre

Mon cœur bat à mille à l'heure ! Pourquoi est-ce que mon dessin pose un problème ?

— Eh bien quoi ? s'étonne la Reine Cornélia en l'examinant de plus près. Ce bouquet est splendide !

La Reine Mère Matilda ordonne :

— Princesses Précieuse et Perla ! Apportez-nous votre feuille, je vous prie !

Les jumelles se dépêchent d'obéir. Elles s'inclinent devant

la directrice en battant des cils. Précieuse souffle :

— Nous sommes si honorées de vous présenter notre modeste travail, Votre Majesté !

Perla jette un coup d'œil à mon dessin qui est dans les mains de la

directrice. Aussitôt, elle lève les bras et prend un air indigné :

— Je n'arrive pas à y croire ! Regarde un peu ça, Précieuse ! Cette tricheuse de Marie a copié sur nous ! Elle a volé notre projet de Composition Florale !

Puis, elle se retourne et me sourit d'un air moqueur. Pas de doute : ces pestes ont manigancé toute cette histoire !

La Reine Cornélia étudie nos deux bouquets un moment. Ils se ressemblent énormément, c'est vrai !

— Je regrette, mais Princesse Marie est forcément coupable,

Votre Altesse, remarque la Reine Mère Matilda. J'ai vu les Princesses Précieuse et Perla commencer leur dessin avant tout le monde !

— C'est vrai ! ajoute Précieuse. Nous sommes les premières à avoir dessiné, hein, Perla ? Ça prouve bien que Marie est une tricheuse !

— Une minute ! intervient Marraine Fée de sa grosse voix. Il me semble que Princesse Marie a le droit de s'expliquer sur cette étrange coïncidence !

Chère Marraine Fée ! Elle est si gentille, ça me réchauffe un peu le cœur.

Seulement, je ne sais pas trop quoi répondre. Je ne veux pas être une horrible rapporteuse et accuser les jumelles !

— Je ne peux pas expliquer cette étrange coïncidence, je murmure en faisant une révérence toute tremblante. Je peux juste dire que j'ai préparé le brouillon de mon bouquet avant le petit-déjeuner… et ensuite, je l'ai redessiné pour l'examen de Composition Florale. Voilà.

— La menteuse ! s'exclame soudain Perla. Elle a copié sur nous, j'en suis sûre !

— Silence !

Ça, c'est Marraine Fée. Elle est très fâchée ! Et dans ces cas-là, elle se met à gonfler, gonfler, gonfler… c'est effrayant ! Même la Reine Cornélia n'en revient pas !

— Pouvez-vous nous montrer ce fameux brouillon, Princesse Marie ? me demande l'Enchanteresse.

Elle est en colère, mais elle me parle quand même avec douceur.

Le problème, c'est que j'ai oublié où j'ai mis mon dessin, ce matin… Je réfléchis, je me concentre. Ouf ! Je finis par m'en souvenir !

— Normalement, il est sous mon oreiller !

— Hum ! ronchonne la Reine Mère Matilda. À quoi bon perdre

notre précieux temps ? Ceci est un cas de tricherie pure et simple !

Marraine Fée n'est pas de cet avis. Elle plonge la main dans son

sac et en sort sa fameuse Perle de Vérité !

Elle la fait tourner, tourner au bout de sa longue chaîne… Je retiens un cri : la perle perd petit à petit sa belle couleur nacrée et elle devient noir charbon !

— Il y a du mensonge dans l'air ! déclare Marraine Fée. La Perle de Vérité ne se trompe jamais ! Lady Arabelle, pourriez-vous aller chercher le dessin de Princesse Marie sous son oreiller, s'il vous plaît ?

L'Infirmière en Chef court à la Chambre des Édredons. En l'attendant, je ne peux pas m'empêcher de m'inquiéter. Et si elle ne trouvait rien sous mon oreiller ? Il n'y aurait aucune preuve que je n'ai pas triché... Ce serait une catastrophe !

Peu après, je pousse un soupir de soulagement. Lady Arabelle revient... avec mon dessin !

— Je n'y pensais plus, mais j'ai vu Princesse Marie dessiner, ce matin, confie-t-elle à Marraine Fée. Et Princesse Précieuse était derrière elle !

L'Enchanteresse hoche la tête. Elle tient la Perle de Vérité au-dessus de mon brouillon. Et voici que la perle redevient blanche et retrouve sa belle couleur !

Alors, Marraine Fée place la Perle de Vérité au-dessus du dessin de Précieuse et Perla…

La perle fonce aussitôt et devient noir de jais !

Sur le coup, personne ne dit rien, dans la salle. C'est si étonnant ! Et puis Précieuse se met à gémir :

— Nous n'avons pas copié sur Marie ! J'ai vu son brouillon par hasard, ce matin. Je lui ai même demandé ce que c'était, comme fleurs. Et j'ai dû redessiner ensuite le même bouquet sans le faire exprès !

— Oui, c'est juste une erreur ! insiste Perla.

— Une erreur ? répète la Reine Cornélia en ajustant son cornet acoustique. Qui a commis une erreur, je vous prie ?

— Les Princesses Précieuse et Perla, Votre Majesté, répond Marraine Fée d'un ton plein de

reproches. Une très, très regrettable erreur…

Les jumelles se regardent, terriblement mal à l'aise. Elles rougissent de honte et Perla lâche d'une traite :

— Nous sommes désolées que tout le monde ait cru que Marie avait copié sur nous alors que c'était faux et nous ne voulions pas dessiner le même bouquet qu'elle, mais seulement, c'est arrivé et ce n'est pas notre faute : c'est sûrement parce que nous ne sommes pas encore guéries et que nous n'étions pas assez en forme pour travailler…

Dès qu'elle a fini de parler, elle attrape Précieuse par la main et elles s'enfuient à toute vitesse. Chloé est assise près de la porte du dortoir. Elle les voit se jeter sur leurs lits et se cacher piteusement sous les couvertures !

— Laissons-les seules, ordonne Marraine Fée. Elles réfléchiront à leur attitude…

La Reine Mère Matilda semble embarrassée.

— Ce sont donc les jumelles, les tricheuses ? bredouille-t-elle.

Elle me tapote gentiment la tête et s'excuse :

— Oh, ma chère Princesse

Marie ! Je suis confuse ! Je vous ai jugée beaucoup trop vite, et de façon terriblement injuste !

— Rassurez-vous, l'interrompt

alors notre directrice. Que Princesse Marie garde le sourire : son projet de Composition Florale est remarquable. C'est elle qui reçoit donc notre fabuleuse surprise ! Marraine Fée... À vous de jouer !

Chapitre cinq

L'Enchanteresse agite sa baguette magique…

… et des centaines de fleurs des champs en jaillissent brusquement ! Ce sont toutes les fleurs que j'ai choisies pour mon bouquet !

Moi, j'ai la tête qui tourne un peu. Tout est allé si vite ! D'abord, on m'accuse de tricherie. Et puis finalement, c'est mon dessin qui est choisi !

— Ramassez donc ces fleurs, Princesses de la Chambre des Coquelicots ! pouffe Marraine Fée. Et composez vite le magnifique bouquet que Princesse Marie a imaginé !

Nous nous appliquons. À la fin, nous sommes toutes très satisfaites ! Mais je soupçonne quand même l'Enchanteresse d'avoir ajouté un peu de poudre de fée…

Les fleurs se sont placées presque toutes seules exactement comme il faut ! Et les rubans se sont enroulés comme par magie…

En moins de deux, nous avons chacune un bouquet parfait !

Je n'exagère pas ! Je n'ai jamais vu de fleurs aussi jolies ! Même la Reine Cornélia est ravie !

— Bravo ! s'exclame-t-elle. Six bouquets royaux pour six « Princesses Bien Particulières » ! Et réjouissez-vous, mes enfants : je suis sûre qu'ils ne sont pas près de faner ! N'est-ce pas, Marraine Fée ?

— Exact, Votre Majesté ! Ils sont un petit peu magiques ! Et maintenant, il me reste un détail à régler…

L'Enchanteresse reprend sa Perle de Vérité et la fait se balancer… Très vite, la perle redevient blanche et brillante !

— Et voilà ! se réjouit Marraine Fée. Tout est rentré dans l'ordre ! Il me reste quand même une dernière chose à faire…

Et là, tu ne devineras jamais !

La Perle de Vérité fait apparaître six robes de bal d'un blanc nacré magnifique ! Les plus merveilleuses robes qu'on puisse imaginer, avec des reflets roses, bleus, mauves… Comme les fleurs de nos bouquets !

Nous écarquillons les yeux, enchantées.

— Oh, merci ! Merci ! Elles sont extraordinaires !

— Je vous avais bien dit qu'il y avait un prix fabuleux pour la gagnante et ses amies ! répond Marraine Fée. Que d'émotions pour aujourd'hui, mes chères princesses ! Dès demain, vous quittez la Chambre des Édredons et reprenez l'école ! Vous feriez mieux d'aller vous reposer…

— Sage décision ! approuve Lady Arabelle. Et ce soir, je veillerai à ce que ces demoiselles se mettent au lit de bonne heure !

— « À qui l'honneur » ? s'étonne la Reine Cornélia.

Notre vieille directrice n'entend pas toujours très bien ! C'est pour ça qu'elle utilise un cornet acoustique. Pourtant, même avec ça, elle comprend parfois tout de travers !

— « À qui l'honneur » ? répète-t-elle. Mais à la Chambre des

Coquelicots, évidemment ! Vous n'entendez donc pas bien, Lady Arabelle ? Je viens de proclamer Princesse Marie grande gagnante !

Je sais, ce n'est pas très poli… mais nous éclatons toutes de rire !

Le soir, bien au chaud dans mon lit, j'admire nos bouquets féeriques, sur les tables de chevet. Je ne peux pas m'empêcher de sourire : je suis tellement heureuse !

Quelle chance fantastique, d'être au Palais Rubis ! Surtout avec mes meilleures amies… dont tu feras toujours partie !

FIN

Que se passe-t-il ensuite ?
Pour le savoir, regarde vite
la page suivante !

L'aventure continue à la Princesse Academy avec Princesse Olivia !

Une Démonstration Princière a lieu au Palais Rubis ! À cette occasion, les élèves de la Prince Academy rendent visite aux princesses. Et Perla est prête à tout pour se faire remarquer par les invités ! Elle n'hésite pas à ridiculiser Olivia devant tout le monde... Heureusement, le Prince Ferdinand est là...

Les as-tu tous lus ?

Retrouve toutes les histoires de la Princesse Academy dans les livres précédents.

Princesse Charlotte ouvre le bal

Princesse Katie fait un vœu

Princesse Daisy a du courage

Princesse Alice et le Miroir Magique

Princesse Sophie ne se laisse pas faire

Princesse Émilie et l'apprentie fée

Saison 2 : les Tours d'Argent

Princesse Charlotte et la Rose Enchantée

Princesse Katie et le Balai Dansant

Princesse Daisy et le Carrousel Fabuleux

Princesse Alice et la Pantoufle de Verre

Princesse Sophie et le bal du Prince

Princesse Émilie et l'Étoile des Souhaits

Saison 3 : le Palais Rubis

Princesse Chloé entre dans la danse

Princesse Jessica a un cœur d'or

Table

« Pour l'éditeur, le principe est d'utiliser des papiers composés de fibres naturelles, renouvelables, recyclables et fabriquées à partir de bois issus de forêts qui adoptent un système d'aménagement durable. En outre, l'éditeur attend de ses fournisseurs de papier qu'ils s'inscrivent dans une démarche de certification environnementale reconnue. »

Imprimé en France par Jean-Lamour - Groupe Qualibris
Dépôt légal : mai 2008
20.24.1626.9/01 – ISBN 978-2-01-201626-2
Loi n°49-956 du 16 juillet 1949
sur les publications destinées à la jeunesse